rororo

ro
ro
ro

Markus Osterwalder, geb. 1947 bei Zürich, Schriftsetzerlehre, Graphiker bei einem Schulbuchverlag in Paris, dann bei einem Hamburger Verlag für die Zeitschrift «Akut». Mehrere Jahre Layouter beim «ZEITmagazin». Jetzt künstlerischer Leiter bei einem Kinderbuchverlag in Paris. Mitarbeit bei den Zeitschriften «YPS», «Pop», «Popfoto», «Sounds», «Graphia» u. a. Autor des Illustratoren-Nachschlagewerkes «Dictionnaire des Illustrateurs 1800–1914», Paris. Lebt in Arcueil bei Paris.

Bisher sind u. a. folgende Titel von Bobo Siebenschläfer bei rotfuchs erschienen:
«Bobo Siebenschläfer», «Bobo Siebenschläfer macht munter weiter», «Bobo Siebenschläfer ist wieder da», «Bobo Siebenschläfer wird nicht müde» und «Das Beste von Bobo Siebenschläfer».

Markus Osterwalder

Bobo Siebenschläfers neueste Abenteuer

Bildgeschichten
für ganz Kleine

Rowohlt Taschenbuch Verlag

4. Auflage Oktober 2015

Originalausgabe
Veröffentlicht im Rowohlt Taschenbuch Verlag,
Reinbek bei Hamburg, Dezember 2014

Lektorat Christiane Steen
Nach der TV-Serie «Bobo Siebenschläfer»
(Drehbücher: Leona Frommelt, Dorothee Mersmann, Regie: Dorothee Mersmann),
produziert von JEP-Animation in Koproduktion
mit dem WDR / WDR mediagroup / Les Films de la Perrine
Umschlag- und Innenillustrationen

Umschlaggestaltung any.way, Barbara Hanke / Cordula Schmidt
Satz Dante MT, PostScript, InDesign
Druck und Bindung Mohn media Mohndruck GmbH, Gütersloh
ISBN 978 3 499 21706 7

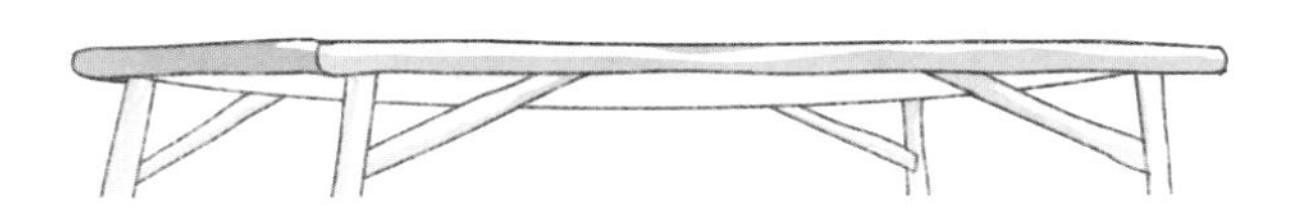

Inhalt

Bobo baut eine Höhle

Heute ist Bobo mit Mama zu Hause.

Kannst du ihn sehen?

«Hm. Wo ist denn Bobo? Ich sehe ihn gar nicht», sagt Mama Siebenschläfer.

Mama sieht unter dem Küchentisch nach.
«Kuckuck! Ich habe dich gefunden, Bobo!»

Bobo hat eine Höhle.
«Du kannst dir ein Tischtuch darüberlegen», sagt Mama.
«Dann ist deine Höhle noch dunkler.»

Ja! Bobo möchte gern das große
blaue Tischtuch für seine Höhle haben.

Er zieht …

… und zieht.
Da fällt das Tischtuch heraus.

Es deckt Bobo zu.

Bobo lacht.

Jetzt soll das Tischtuch auf den Tisch.
Mama hilft Bobo dabei.

Bobos Höhle ist fertig!

Oh. Bobo findet seine Höhle
ein bisschen zu dunkel.

«Hol dir doch deine Taschenlampe», sagt Mama.
Das ist eine gute Idee!

Bobo sucht in seinem Kinderzimmer
nach der Taschenlampe.

Da ist sie schon!

Bobo überlegt. Er möchte noch
Spielsachen mit in seine Höhle nehmen.

Was holt Bobo da aus seiner Kiste?

Ein Kuschelkissen, eine Eisenbahnlok
und einen Teddybären!

Bobo trägt alles in seine Höhle zurück.
Wie gemütlich!

Bobo knipst die Taschenlampe an.

Der Teddy sieht lustig aus.

Bobo leuchtet sich selbst an.
«Guck mal, Teddy, Bobo ist ein Gespenst!»

Bobo setzt seinen Teddy auf die Lok.
Der Schatten fährt hin und her.

«Tscht-tscht-tscht-tscht», macht Bobo.
«Ding-dong!», macht es an der Tür.
Papa Siebenschläfer kommt nach Hause!

«Wo ist denn Bobo?», fragt Papa.
«Such ihn mal», sagt Mama.

Hm.
Ist Bobo vielleicht in der Speisekammer?

Bobo muss lachen. Er hält sich den Mund zu,
damit Papa ihn nicht hört.

Ist Bobo vielleicht im Kühlschrank?
Natürlich nicht!

Kuckuck! Papa hat Bobo gefunden.
Aber was ist das?

Bobo ist in seiner gemütlichen Höhle eingeschlafen.

Bobo beim Kinderturnen

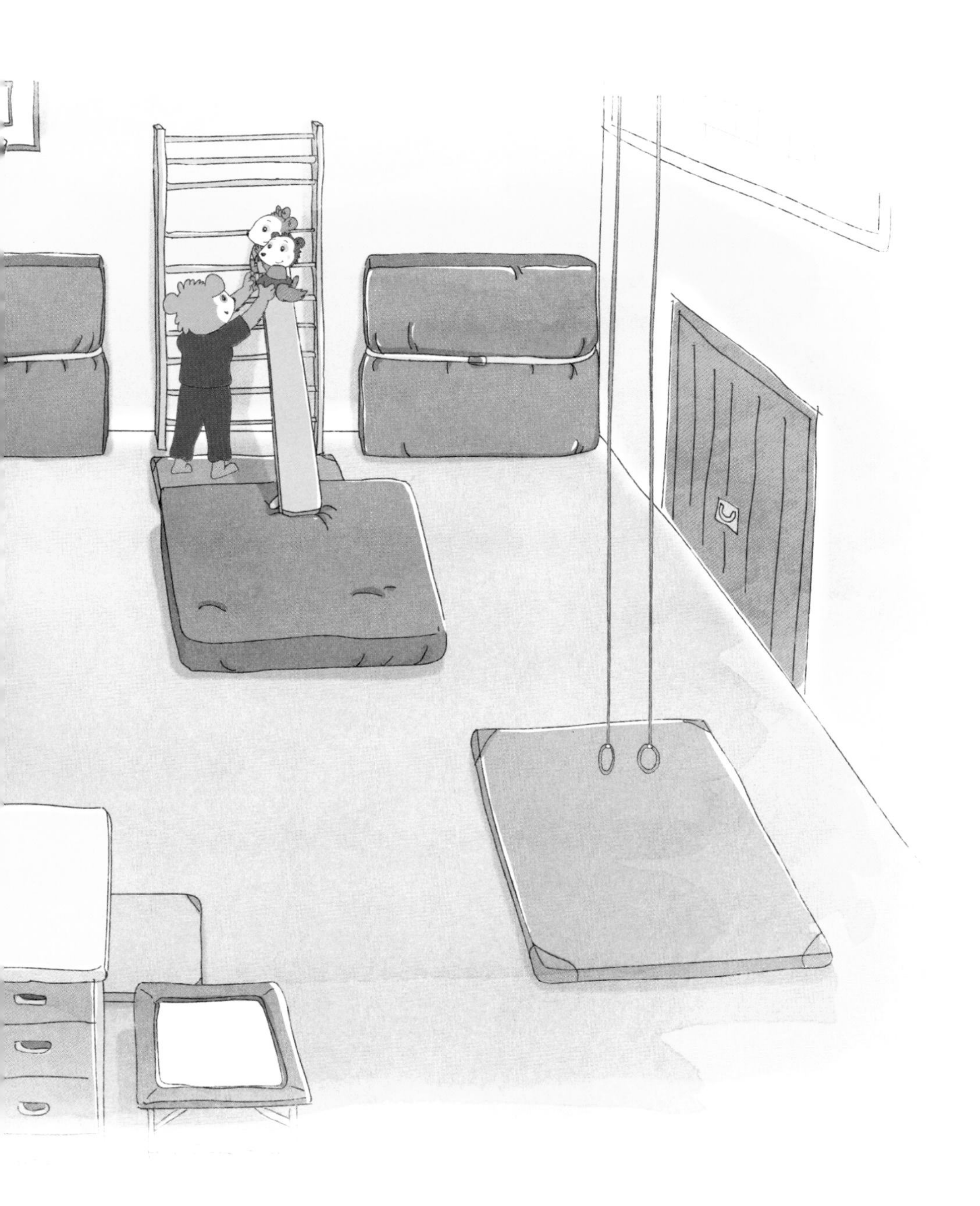

Heute hat Bobo Kinderturnen.

Das ist Frau Bährens,
die nette Turnlehrerin.

Hurra, Bobos Freunde
sind auch schon da.

«Bobo, komm zu uns hoch!»,
rufen Hedi und Louis.

Bobo versucht, die Bank nach oben zu laufen.
Das ist aber rutschig!

Plumps!
Bobo ist auf die Matte gefallen.
«Versuch es mal auf dem Bauch», sagt Frau Bährens.

Bobo zieht sich auf dem Bauch nach oben.
Ja, so geht es!

Geschafft.
Bobo ist bei Hedi und Louis angekommen.

«Jetzt loslassen», sagt Hedi.
Huuuiiii!, rutschen die Kinder nach unten.

Was für ein Spaß!

Aber jetzt hat Bobo die Ringe entdeckt.

Festhalten …

… vor …

… und zurück!

Bobo will ein Kunststück zeigen.
Wie lustig, alles steht auf dem Kopf!

«Hallo, Mama!»
Mama winkt Bobo von der Elternbank zu.

Hedi und Louis sind schon auf den Kasten geklettert.
Bobo will auch hinauf.

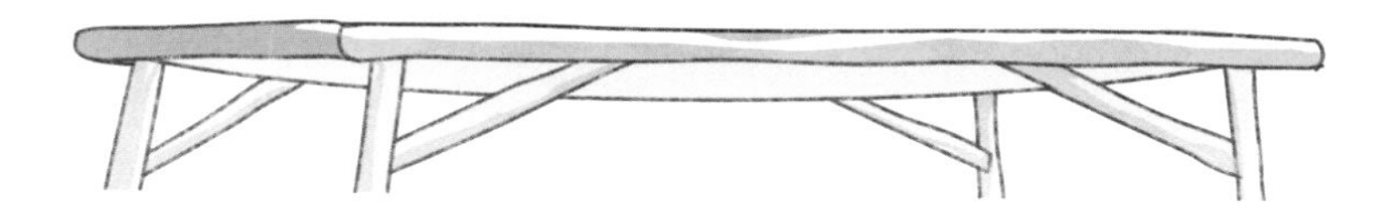

Bobo hüpft auf dem Trampolin.

Er hüpft bis zu Hedi und Louis hinauf!

Geschafft!
Bobo steht oben auf dem Kasten.

«Gut gemacht, Bobo!», ruft Mama.
Die anderen Eltern klatschen auch Beifall.

Zum Schluss wollen Bobo, Hedi und Louis
Hand in Hand auf die dicke Matte runterspringen.
Eins … zwei …

… drei!

Die Turnstunde ist zu Ende.
Jetzt singen die Kinder noch ein Abschlusslied
mit Frau Bährens.

Auf Wiedersehen!
Hedi und Louis laufen schon los.
Aber wo ist Bobo?

Nanu? Bobo ist auf der
dicken Matte eingeschlafen.

Das war eine schöne Turnstunde.

Bobo macht Frühstück

Die Sonne geht hinter Bobos Haus auf.
In der Küche brennt Licht.

Heute bereitet Bobo ganz allein
das Frühstück vor.

Er stellt alles auf den Tisch,
was Familie Siebenschläfer braucht.

Zuletzt den Kakao. Fertig!

Da kommen Mama und Papa!
«Oh, Bobo, du hast ja schon
den Frühstückstisch gedeckt!»

Bobo möchte mit Mama und Papa das Brotspiel spielen.
Dafür fassen sie sich an der Hand und singen:
«Schubidu, schubidu, welches Brot machst du?»

Bobo nimmt sich ein Brot …

… und zwei verschiedene Sorten Wurst.

Beim Brotspiel legen alle lustige Bilder auf ihre Brote.
Bobo will noch nicht zeigen, wie sein Brot aussieht.

Papa malt heute mit Honig.

Mama ist schon fertig.
Wie sieht ihr Brot aus?

Mama hat mit Käse ein Löwenbrot gemacht.

Auf Bobos Brot liegt eine Maus.
Toll gemacht, Bobo!

Und auf Papas Brot?
Das ist ja ein Bobo!

Jetzt wird aber gefrühstückt.
«Kann ich bitte die Milch haben?», fragt Mama.

Als Papa sich zur Seite dreht, schnappt sich Bobo Papas Brot
und beißt heimlich ein Stück ab.

«Hey, wer hat in mein Bobo-Brot gebissen?»,
staunt Papa.

Bobo muss kichern.
Aber er hat den Mund voll!

Jetzt möchte Mama noch den Kakao
und einen Löffel haben.

Bobo beißt schon wieder heimlich
ein Stück von Papas Brot ab!

Erwischt!

Bobo bietet Papa zum Tausch
sein Mause-Brot an.

Aufgegessen!
Jetzt möchte Bobo Weintrauben probieren.

Mama legt ihm drei Trauben auf den Teller.

Ganz schön schwierig mit der Gabel.
Eine Traube fliegt in die Luft …

… und landet in Papas Glas!

Hmm, lecker, Traubensaft!

Nach dem Frühstück möchte Papa die Zeitung lesen.
Bobo holt sie ihm.

Bobo will auch Zeitung lesen.
Papa hebt ihn auf seinen Schoß.

«Schau mal, Bobo, hier ist der Bauernhof,
wo du mit Opa warst», sagt Papa.

Aber Bobo antwortet nicht.
Er ist auf Papas Schoß eingeschlafen.

Bobo feiert Geburtstag

Heute feiert Bobo Geburtstag!
Mit Mama und Papa schmückt er das Wohnzimmer.

Mama gibt Bobo ein paar Luftschlangen.
«Puste mal rein, Bobo!»

Bobo pustet. «Pfffffffffftttttt!»

Die Luftschlangen sind
auf Mamas Kopf gelandet.
«Schau mal, Bobo,
meine schicke Frisur!»

Bobo legt sich
Luftschlangen in
seine Krone.
«Bobo auch Haare!»,
sagt er.

«Ding-dong!» Es klingelt an der Tür.

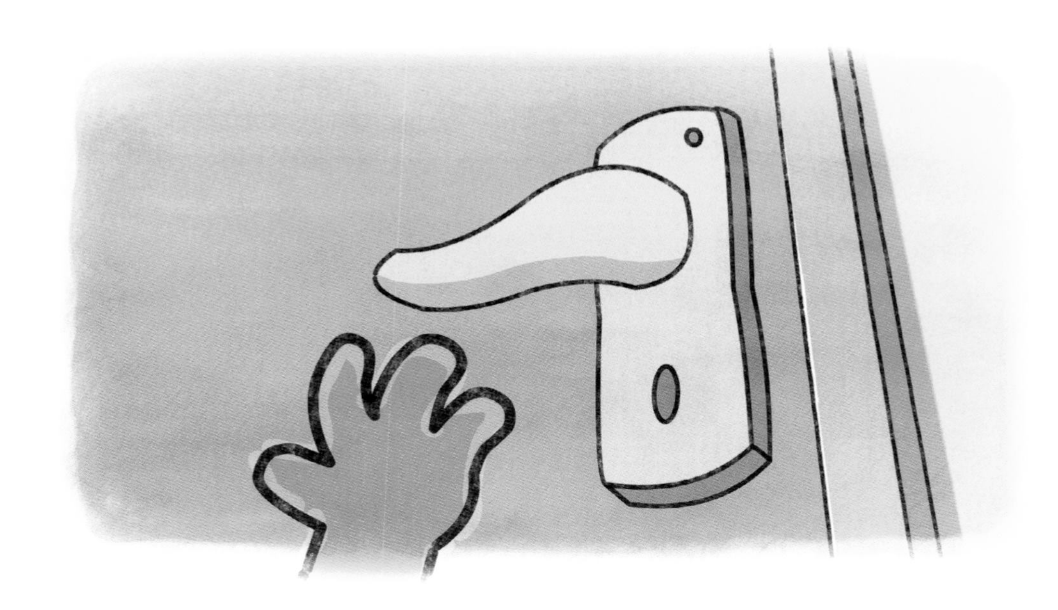

Die Gäste kommen!
Bobo öffnet die Tür.

Hurra! Es sind Bobos Freunde Hedi und Louis.

Sie haben ein Geschenk
für Bobo mitgebracht.

Jetzt wird gefeiert!
Bobo, Hedi und Louis setzen sich an den Tisch.

Es gibt einen leckeren Geburtstagskuchen.
Wie viele Kerzen stecken darauf?
Richtig: drei Kerzen!

«Du darfst die Kerzen jetzt auspusten
und dir etwas wünschen, Bobo», sagt Mama.

«Aber nicht verraten, was du dir wünschst», sagt Papa.
«Sonst geht dein Wunsch nicht in Erfüllung.»

«Pfffffftt!», macht Bobo.

Oh, die Kerzen brennen
ja immer noch!

«Noch mal», sagt Papa.
Und er hilft ein bisschen mit.

Jetzt hat Bobo es geschafft.
Die Kerzen sind ausgeblasen!

«Ein Pony!», sagt Bobo.
Nun hat er seinen Wunsch doch verraten.
Alle lachen. Bobo auch.

Die Kinder essen Geburtstagstorte. Das schmeckt!
«Schokomund!», sagt Bobo.

Plötzlich fällt Bobo etwas ein:
Er muss ja noch sein Geschenk auspacken!
Hedi und Louis sehen zu.

Bobo zieht die Schleife auf.
Was wohl in dem Paket ist?

Ein Spielzeug-Pony!

«Dein Wunsch ist tatsächlich
in Erfüllung gegangen», staunt Papa.

Jetzt wollen die Kinder Topfschlagen spielen.
Mama verbindet Bobo die Augen.
Wo ist der Topf?

Gefunden!
Genau vor Papas Füßen.

Papa kitzelt Bobo.
Bobo muss lachen.

Jetzt kitzeln die Kinder Papa Siebenschläfer.
Das macht Spaß!

«Ding-dong!» Es klingelt an der Tür.
Hedi und Louis werden abgeholt.
Schade, der Geburtstag ist schon zu Ende.

«Auf Wiedersehen, Bobo!», rufen sie.

«Auf Wiedersehen, Hedi und Louis.
Und danke für das schöne Geschenk!»

Mama nimmt Bobo auf den Arm. «Komm, wir winken deinen Freunden noch aus dem Fenster», sagt sie.

«Das war ein schöner Geburtstag, oder?», fragt Mama. Doch Bobo antwortet nicht. Er ist schon in Mamas Arm eingeschlafen.

Pirat Bobo

Heute ist Badetag bei Familie Siebenschläfer.
Bobo badet mit Papa.

Bobo möchte ganz viel Schaum
in der Wanne haben.

Papa gießt Shampoo ins Wasser.

Dann rührt er mit beiden Armen um.
Oh, das schäumt aber schön!

Bobo pustet in den Schaum.
Hurra, jetzt gibt es Seifenblasen!

Bobo möchte sein Schiffchen fahren lassen.

«Jawohl, Herr Kapitän», sagt Papa
und gibt Bobo das Schiff.

«Tschuuut-tschuut», macht Bobo.
Das Schiffchen fährt hin und her.

Papas Bein soll die Rutschbahn für das Schiffchen sein.
Bobo schiebt es hinauf und lässt es ins Wasser rutschen.

Bobo will, dass das Boot in die Luft hüpft.
Dafür drückt er es unter Wasser.
Achtung, Bobo!

Tschhhuuuuiii, fliegt das Boot aus dem Wasser.
Das macht Spaß!

Jetzt haben Bobo und Papa aber wirklich viel Schaum in der Wanne.
Papa legt sich etwas davon auf den Kopf.

«Guck mal, Bobo,
wie gefällt dir meine Mütze?»

Bobo macht sich auch
eine Mütze aus Schaum.

Huch, was macht
Bobo da?
Er drückt sich
Schaum ins Gesicht!

Bobo hat einen
Bart aus Schaum!

«Wir spielen, dass wir wilde Piraten sind»,
sagt Papa. «Und das sind unsere Säbel.»

Bobo und Papa kämpfen wie Piraten.
Bobos Säbel fliegt dabei in die Luft. Papa fängt ihn auf.
«Jetzt müssen wir Haare waschen, Bobo.»

Bobo mag es nicht, wenn Shampoo in seine Augen kommt.
Aber Papa kennt einen Trick.

«Halt dir den Waschlappen einfach
vor die Augen, Bobo.»

Das ist eine gute Idee. Papa kann Bobos Haare waschen und ausspülen, ohne dass Shampoo in Bobos Augen kommt.

Fertig!

Jetzt will Bobo Papas Haare waschen.
Aber die Shampooflasche ist leer!
Bobo saugt Wasser hinein.

Zisch!
Papa bekommt einen dicken Strahl ab.

«Na warte, du kleiner Pirat!»
Jetzt darf Papa Bobo nassspritzen!
Bobo lacht. Sie machen eine Wasserschlacht.

Da kommt Mama Siebenschläfer ins Badezimmer.
«Hier bekommt man ja nasse Füße!», sagt sie.

Bobo ist fertig mit Baden.
Mama hebt ihn aus der Wanne …

… und rubbelt ihn schön trocken.
Dann nimmt sie ihn auf den Arm.

«Das hat aber Spaß gemacht,
nicht wahr, Bobo?», sagt Papa.

Aber Bobo antwortet nicht.
Er ist schon auf Mamas Arm eingeschlafen.

Bobo geht Eis essen

Heute wollen Bobo und Mama ein Eis kaufen gehen.

Dazu müssen sie die Straße überqueren.

«Erst nach links gucken, Bobo», sagt Mama.
«Dann nach rechts und dann wieder nach links.»

«Links», sagt Bobo.
Aber wo zeigt Bobo denn hin?

«Nein, Bobo, links ist da», sagt Mama.

Mama und Bobo gucken links und rechts und wieder links,
ob auch kein Auto kommt.
Dann können sie über die Straße gehen.

Bobo kann es kaum noch erwarten,
zum Eisladen von Rosario zu kommen.

Da ist er schon.
«Hallo, Rosario!»

«Hallo, Bobo.
Welche Sorte Eis möchtest du denn?»

Aber Bobo kann das leckere Eis gar nicht sehen.

Mama nimmt Bobo auf den Arm.
Jetzt kann Bobo alles gut erkennen.

Es gibt Schokolade, Erdbeere, Banane, Ananas,
Pistazie, Malaga und Zitrone.

Oh, so viele Sorten! Bobo weiß nicht,
für welche er sich entscheiden soll.

«Komm mal auf diese Seite», sagt Rosario.

Das lässt sich Bobo nicht zweimal sagen.
Schnell läuft er durch die kleine Tür.

Rosario hebt ihn auf zwei Kisten.

«So, Bobo, jetzt bist du der Eisverkäufer», sagt er und setzt Bobo seine Verkäufermütze auf.

Nun darf Bobo probieren.
Rosario gibt Bobo einen kleinen Löffel mit Zitroneneis.

Brrrrrrr! Das ist Bobo viel zu sauer.

«Na gut, dann probier mal Banane»,
sagt Rosario.

Ja, Banane schmeckt Bobo lecker!

Bobo darf sich selbst eine Kugel
in die Waffel füllen.

Mama kauft sich eine Kugel Erdbeereis
im Becher. Dann bezahlt sie.

Auf Wiedersehen, Rosario!

Es ist sehr heiß heute.
Bobo muss sein Eis
schnell essen, damit
es nicht schmilzt.

Oh.
Bobos Mund
ist ganz kalt!

Bobo möchte auf Mamas Arm.

Mama trägt Bobo.
Jetzt müssen sie wieder über die Straße zurück.

«Na, Bobo, wo ist links?», fragt Mama.
Aber Bobo antwortet nicht.

Er ist auf Mamas Arm eingeschlafen.

Nora kommt zu Besuch

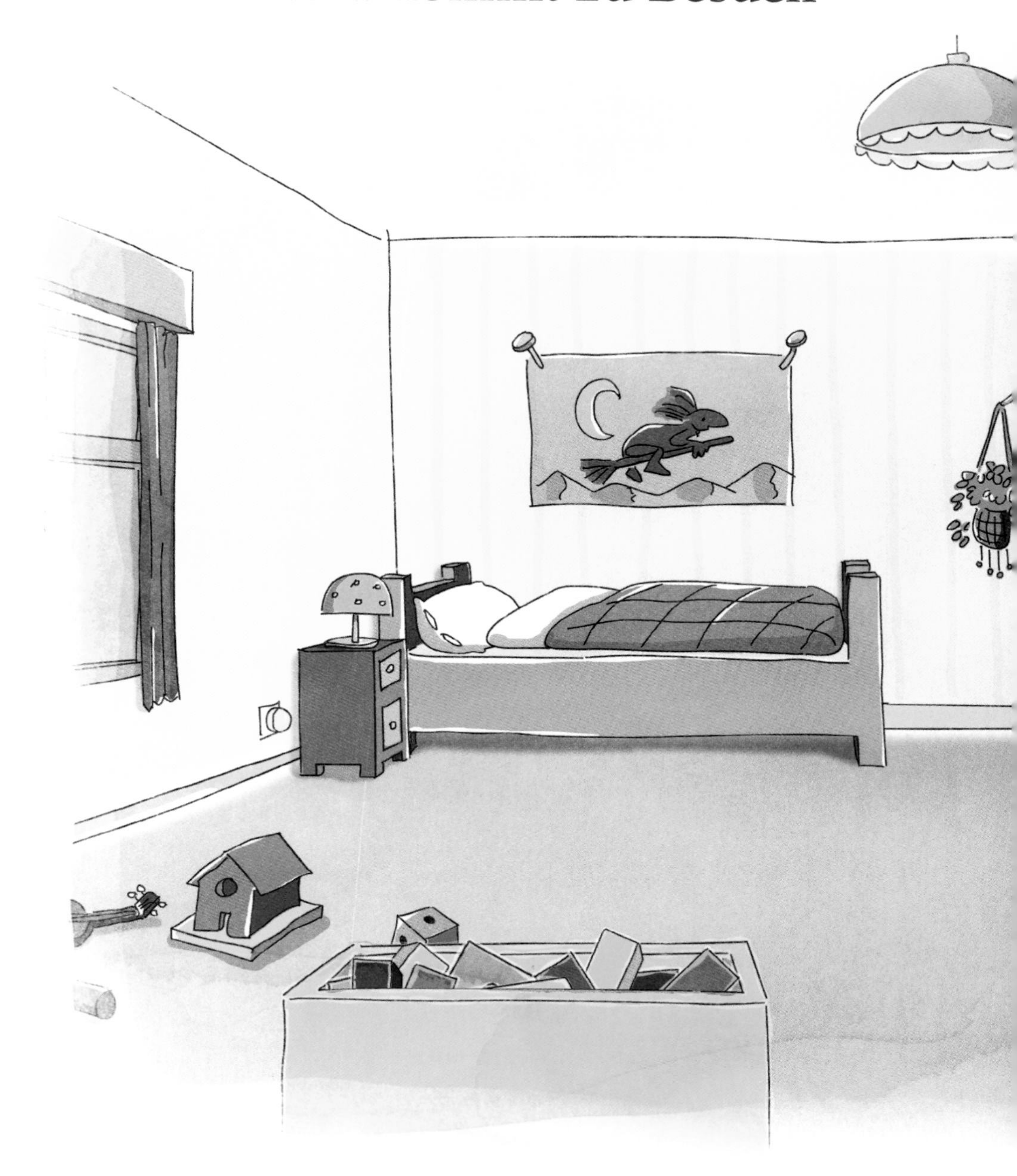

Bobo spielt in seinem Kinderzimmer
mit der Eisenbahn.

Da geht die Tür auf.
Wer kommt zu Besuch?

Es ist Cousine Nora.
«Hallo, Bobo!»

Bobo freut sich.

«Wollen wir mit der Eisenbahn spielen?»,
fragt Bobo.

Aber dazu hat Nora keine Lust.
Sie möchte lieber mit den Bauklötzen spielen.

Nora und Bobo
wollen einen Turm bauen.

Erst müssen sie die Kiste
mit den Bauklötzen auskippen.
Eins, zwei, drei … ausgekippt!

Bobo und Nora schieben
die leere Kiste zur Seite.
Jetzt haben sie viel Platz für ihren Turm.

Nora und Bobo wollen den höchsten Turm der Welt bauen!
Immer abwechselnd legen sie
einen Bauklotz über den anderen.

So hoch ist der Turm schon!

Bobo will noch den gelben Bauklotz
obendrauf legen.

Oje! Jetzt ist Bobo mit seinem Schwanz
gegen den Turm gestoßen!

Der Turm ist kaputt.

Egal. Noch mal!

Diesmal wird Noras und Bobos Turm
noch viel höher.

Bobo holt einen Stuhl.

Jetzt kann er das Dach oben auf den Turm legen.
Hui, vorsichtig, Bobo! Nicht wackeln!

Gut gemacht, Bobo.
Was für ein toller Turm!

Nanu, was machen Bobo und Nora denn da?
Sie machen den Turm ja wieder kaputt!

Ratta-platta-rums … plumps!
Das hat aber schön gerumpelt.

Jetzt wollen Bobo und Nora nicht mehr bauen.
Sie wollen auf Bobos Bett hüpfen.

Sie fassen sich an den Händen
und hüpfen zusammen.

Noch höher!

Und plumps!
Das hat Spaß gemacht.

Bobo will Nora
sein Bilderbuch zeigen.

Sie sehen es sich zusammen an.

Da kommt Mama Siebenschläfer herein.
Sie bringt den Kindern etwas zu trinken.
«Habt ihr Durst?», fragt sie.

Aber Bobo und Nora antworten nicht.
Sie sind eingeschlafen.

Das für dieses Buch verwendete Papier ist FSC®-zertifiziert.